Princesse [illegible]

Les yeux maléfiques

Tout petit, il adorait se déguiser en chevalier et sauver les princesses avec son épée en plastique. Trente ans plus tard, Bruno Muscat est journaliste à *Astrapi*. Raconter des histoires est devenu son métier, et les châteaux forts le font toujours autant rêver.

Édith est illustratrice. Elle est connue depuis 1990, quand elle a publié la série *Basile et Victoria*, qui a reçu l'Alph-Art, un des plus prestigieux prix de bande dessinée français. Elle travaille aussi beaucoup avec les éditeurs jeunesse, tant sur des albums que sur des livres de fiction.

BRUNO MUSCAT • ÉDITH

Princesse Zélina

Les yeux maléfiques

bayard poche

Royaume d
Montagnes
Noires
Landes d'Ohr
Kertala
Royaume
de Loftburg
Sévrougo
Schnitzel
Lac d'Émeraude

Noordévie
N
O
E
S
Baghora
Le château
royal
Forêt de
Tildar
Obéron
e d'Ysambre
Port-Duchesse

Prologue

La princesse Zélina, la fille du roi Igor de Noordévie, aime le beau Malik. Mais celui-ci n'ose pas lui avouer qu'il est le fils d'Otto de Loftburg, le pire ennemi du roi Igor…

De plus, la belle-mère de Zélina, la reine Mandragone, veut se débarrasser d'elle

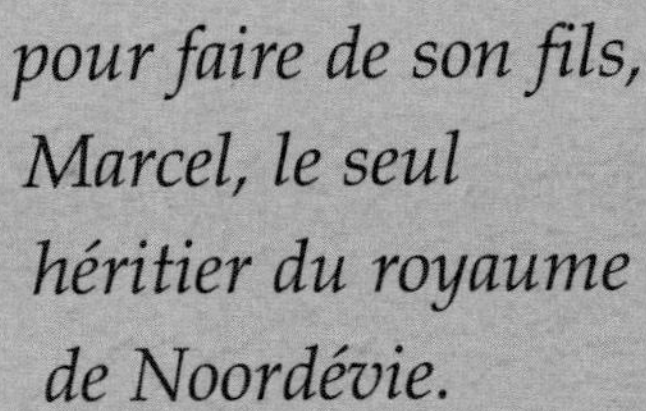

pour faire de son fils, Marcel, le seul héritier du royaume de Noordévie.

La princesse n'est pas au bout de ses peines…

La plus belle pour sortir !

Madame Contrepoint leva son aiguille, et Zélina se retourna vers le miroir dans un grand froissement de soie :

– Alors, Ambre, qu'en penses-tu ?

La couturière avait fait un travail magnifique ! La demoiselle de compagnie admira le reflet de la princesse dans la glace avec un grand sourire :

– Mademoiselle, vous êtes tout simplement étincelante...

Puis elle ajouta avec malice :

– Pour sûr, on ne verra que vous demain, au grand gala des orphelins d'Obéron !

Les joues de Zélina rosirent de plaisir. Elle demanda à son amie de lui apporter le coffret à bijoux qui se trouvait sur la coiffeuse et en retira une bague magnifique, qu'elle glissa doucement autour de son doigt.

– Crois-tu que mon beau saphir ira bien avec le rouge de ma robe ?

– On dirait qu'il a été taillé pour elle !

Madame Contrepoint soupira en levant les yeux au ciel :

– Majesté, si vous voulez que je termine votre tenue à temps, il faut que vous arrêtiez de gigoter...

Zélina pouffa. La couturière ajusta la large ceinture en soie brodée d'or et d'argent et la noua dans le dos de la princesse. La jeune fille contracta les muscles de son ventre et retint sa respiration :

– Serrez bien, madame Contrepoint. Je veux avoir une taille de guêpe !

La couturière haussa les épaules, mais elle fut bien obligée de s'exécuter. « Ah, ces jeunes filles ! Toutes les mêmes ! » pensa-t-elle.

– Un peu plus encore... Oups... C'est parfait ! approuva Zélina.

Le nœud bien serré, madame Contrepoint releva le bas du jupon et piqua quelques épingles dans le tissu. Puis elle demanda à Zélina d'ôter la robe, qu'elle prit sous son bras.

– Je vous quitte, mesdemoiselles. Il faut que je

termine l'ourlet au plus vite.

– Au revoir, madame Contrepoint, lui répondirent en chœur les deux demoiselles, très excitées.

En effet, Zélina avait d'excellentes raisons de vouloir être belle en ce soir de gala...

Ambre referma délicatement la porte et colla son oreille contre le battant pour vérifier si madame Contrepoint s'en allait vraiment. Entendant les pas pressés de la couturière qui s'éloignaient dans le couloir, Ambre se redressa et fit un clin d'œil à sa maîtresse :

– C'est bon... Nous sommes tranquilles maintenant !

Zélina ouvrit le tiroir de son secrétaire et en tira une enveloppe. Celle-ci contenait une invitation pour le gala du lendemain. La princesse retourna le carton et trempa sa plume dans son encrier. Puis elle écrivit quelques mots rapides avant de conclure le court message par un baiser délicat.

– Vous n'avez oublié aucun détail ? s'inquiéta

la jeune suivante.

– Ne t'en fais pas, la rassura Zélina en glissant le carton dans l'enveloppe. Notre plan est infaillible...

Elle tendit la lettre à sa demoiselle de compagnie avec des airs de conspirateur :

– Porte vite ce pli à qui tu sais à l'auberge du Pichet d'Argent !

En mains propres

L'après-midi touchait à sa fin quand Ambre poussa la porte de l'auberge du Pichet d'Argent. Cet endroit ne lui inspirait guère confiance, et elle regretta l'espace d'une seconde de s'être proposée pour cette mission. Mais sa maîtresse adorée comptait sur elle, et il était de toute façon trop tard pour faire demi-tour.

L'odeur du tabac et du vin qui coulait à flots la saisit à la gorge. Ambre toussota. Pouah...

Comment pouvait-on habiter dans un endroit aussi dégoûtant ? Quelques visages peu sympathiques se tournèrent vers elle, et le silence se fit dans la taverne. Ambre sentit des regards curieux la dévisager. La jeune fille frissonna et remonta le col de sa capeline. Et si l'un des clients la reconnaissait ? Ce serait une catastrophe ! Heureusement, les nez se replongèrent dans leurs chopes et les conversations repartirent de plus belle.

Ambre parcourut la salle des yeux et aperçut enfin Malik. Installé sur une table à l'écart, entouré de gros livres, l'étudiant travaillait à la lueur d'une maigre chandelle. La flamme faisait briller ses yeux intelligents et concentrés. Ambre respira un grand coup, prit son courage à deux mains et se faufila entre les tables. Parvenue jusqu'à celle, fort encombrée, du jeune homme, elle chuchota :

– Monsieur Malik ?

Tiré de sa réflexion, Malik sursauta :

– Mademoiselle Am...

La demoiselle posa avec autorité son index sur ses lèvres :

– Chut, pas de nom, s'il vous plaît... Personne ne doit savoir qui je suis.

Malik se leva et lui proposa une chaise. Mais Ambre refusa de s'asseoir.

– Je vous remercie, mais je n'ai guère le temps. Si je suis venue jusqu'à vous, c'est que l'on m'a demandé de vous remettre cette lettre en mains propres...

Elle tira l'enveloppe de son gant et la tendit à Malik. Le visage du jeune homme s'illumina lorsqu'il reconnut la belle écriture et l'encre violette de sa princesse chérie.

– Maintenant, je dois vous quitter, Monsieur. Ma mission s'arrête là...

Malik s'inclina devant la jolie messagère et la regarda disparaître aussi rapidement qu'elle était apparue. Il se rassit sur sa chaise, puis décacheta l'enveloppe à l'aide de son couteau. Il s'en dégagea une délicate odeur de jacinthe et de miel mêlés qu'il huma avec délice. Mmm... Qu'il aimait ce parfum !

– Tiens, une invitation au grand gala des orphelins..., s'étonna l'étudiant.

Il retourna le carton et lut le message de sa bien-aimée :

Mon bel amour,

Je m'éclipserai de la loge royale pendant le spectacle. Je propose que nous nous retrouvions tous les deux dans un endroit discret du théâtre. Je vous enverrai ma chère marraine Rosette afin qu'elle vous mène jusqu'à moi.

Ainsi, vous aurez enfin le temps de vous confier un peu à moi ! Il y a tant de choses que j'ignore de vous, mon mystérieux ange gardien...

Qu'il me tarde d'être à demain et de me blottir de nouveau dans vos bras ! Vous me manquez tellement...

Vôtre Z.

Malik posa doucement ses lèvres sur les traces de celles de sa princesse.

– Moi aussi, il me tarde d'être à demain, mon amour. Même si ce que je dois vous révéler est bien difficile à avouer..., murmura-t-il, pensif, en glissant le carton sous la couverture de son livre.

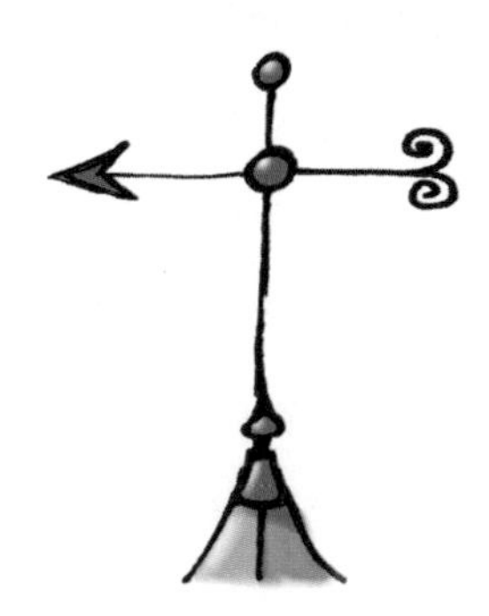

Soirée de gala à Obéron

Malgré le froid, une foule compacte de curieux s'était massée sur la place de l'hôtel de ville pour assister au défilé des carrosses devant le théâtre d'Obéron. Ce soir, tous les nobles seigneurs et les riches bourgeois du royaume se pressaient sur les marches de marbre blanc. Sous les torches portées par des laquais, les dames rivalisaient d'élégance pendant que leurs maris bombaient le torse, ce qui faisait ressortir un peu plus les

boutons dorés de leurs beaux uniformes.

Alors que huit heures sonnaient à l'horloge de l'hôtel de ville, les deux carrosses royaux s'immobilisèrent à leur tour devant l'escalier du théâtre, de l'autre côté de la place. Deux laquais se précipitèrent pour en ouvrir la portière. L'austère reine Mandragone, son fils, le prince Marcel, et son inquiétant confident, monsieur Belzékor, descendirent du premier carrosse. Le roi Igor, sa fille Zélina, accompagnée de sa fidèle Ambre et de sa marraine, la minuscule fée Rosette, sortirent du second. Posant le pied sur le marchepied, la jeune princesse leva les yeux.

– Que c'est beau ! s'exclama-t-elle, émerveillée.

Le théâtre, repeint de frais pour l'occasion, avait la forme d'une vaste arène. D'immenses bannières rouges flottaient le long de ses murs blancs à colombages. Un petit clocher dominait l'édifice.

– C'est sûr, la nuit sera douce..., murmura la princesse en admirant la magnifique girouette dorée qui suivait paresseusement les humeurs de la brise.

Après les salutations d'usage, tout le monde s'engouffra dans les couloirs du théâtre. Quand Igor et les siens parurent au balcon de la loge royale, des hourras montèrent depuis la foule. Le roi s'inclina en souriant et attira à ses côtés sa fille adorée. Les bravos redoublèrent.

– Écoute-les, ma petite princesse : je crois qu'ils t'aiment encore plus qu'ils ne m'aiment, moi ! glissa Igor à l'oreille de sa fille.

Zélina sentit ses joues s'empourprer. Très émue, elle salua timidement ses sujets. Derrière elle, la reine Mandragone serra les dents. La popularité de sa peste de belle-fille l'exaspérait au plus haut point, et il devenait urgent que monsieur Belzékor, son démon, la débarrasse de cette gêneuse !

À ce moment, des laquais portant de grands paniers d'osier firent leur entrée dans la salle. Igor demanda le silence et prit la parole :

– Chères Noordaviennes et chers Noordaviens... Si nous sommes réunis dans ce théâtre ce soir, c'est parce que les orphelins d'Obéron ont besoin de nous. Je vous invite donc à remplir ces paniers avec générosité !

Joignant le geste à la parole, le roi lança dans l'un d'eux une lourde bourse remplie de sequins. Mais alors que le laquais s'éloignait, Zélina se leva d'un bond. Elle ôta le superbe saphir qu'elle portait au doigt et le déposa sans hésitation dans le panier. Puis elle se retourna vers son père et Mandragone en baissant les yeux, un peu honteuse :

– Papa, je sais que cette sublime pierre sera plus utile aux orphelins qu'à moi !

Ne sachant que répondre, Igor fit mine de froncer les sourcils. Mais, au fond de lui-même, le roi était très fier de sa fille. Il retrouvait dans le geste de Zélina toute la bonté de sa défunte mère, sa bien-aimée reine Mathilde.

Les autres paniers s'étaient, eux aussi, rapidement remplis. Les laquais quittèrent la salle, et l'obscurité se fit dans le théâtre. Un ménestrel entra sur la scène. Il salua le public, effleura du bout des doigts les cordes de sa harpe. Le spectacle pouvait commencer !

Quel spectacle !

Pendant une heure, les artistes les plus brillants du royaume se relayèrent sur les planches.

Au ménestrel succéda un dresseur d'ours. Un frisson d'effroi parcourut le premier rang quand l'homme, un solide gaillard moustachu, exhiba les terribles canines de ses bêtes en vantant leur férocité. Mais, malgré leurs rugissements menaçants, les monstres se révélèrent d'habiles équilibristes et de gracieux danseurs. On sentait une vraie

complicité entre les animaux et leur maître, et cela enchanta Zélina.

Puis vint le tour d'un trio d'acrobates éblouissantes. L'une d'elles s'installa au sommet d'une immense perche tenue par un colosse pour y effectuer de périlleuses figures.

– Qu'elle est souple ! s'extasia la princesse.

Puis l'acrobate fut rejointe par les deux autres jeunes filles, aussi agiles qu'elle. Elles formèrent ainsi toutes les trois une extraordinaire pyramide humaine à plus de quinze pieds du sol ! Une tension extrême régnait maintenant dans la salle. Personne n'osait plus respirer, de peur de rompre le fragile équilibre. Zélina serra la main d'Ambre :

– Pourvu que...

Mais les jeunes filles tinrent bon

et regagnèrent le sol saines et sauves sous un tonnerre d'applaudissements.

– Bravo ! Bravo !

La princesse battit des mains à tout rompre. Elle était si heureuse ! Bien-sûr, le spectacle était splendide. Mais, surtout, Zélina savait qu'elle allait retrouver son bien-aimé. Elle profita que les acrobates se livrent à quelques exercices au sol pour se pencher au-dessus de la balustrade.

– Excuse-moi, papa…, chuchota-t-elle.

Zélina chercha Malik des yeux. Elle l'aperçut à côté de la scène. Lui-aussi l'avait vue ! Il lui adressa un petit geste de la main, et le cœur de la princesse s'affola. Qu'il était beau ! Et quelle chance elle avait d'être aimée par un jeune homme aussi exceptionnel ! Mais elle se retint de lui répondre, car elle sentit soudain sur sa nuque le regard de Belzékor.

« Quel personnage inquiétant, ce monsieur Belzékor..., songea Zélina. Depuis qu'il est arrivé au château, ma vie, d'habitude si tranquille, a traversé d'étranges tempêtes. »

La princesse fit la moue. « Bien sûr, Belzékor n'y est pour rien, mais tout de même... C'est un drôle de hasard ! »

Le démon bâilla. Il s'ennuyait ferme. D'abord, il avait faim. Ensuite, ce spectacle manquait cruellement de piment, à son goût. Si Mandragone ne lui avait pas intimé l'ordre de bien se tenir pendant cette soirée, il aurait bien lancé une petite boule de feu sur la perche... Mais il y avait pire : depuis tout

à l'heure, Belzékor était obligé de partager la loge avec une espèce d'insupportable petite fée bienfaisante. Et ça, ça lui gâchait vraiment la soirée !

Les acrobates saluèrent la salle sous les acclamations du public. À peine s'étaient-elles retirées qu'un étonnant personnage apparut sur la scène. Une voix annonça :

– Et maintenant, place au mage Savério !

Les sortilèges de Savério

Pâle comme la mort, le mage Savério s'avança sous la lueur des lanternes de l'estrade. Maigre à faire peur, le visage mangé par une grande barbe blanche, il était vêtu d'un ample manteau noir constellé d'étoiles d'argent. Un large turban turquoise enserrait ses longs cheveux soigneusement lissés. Mais ce qui captivait le plus chez le vieillard, c'était ses yeux de jais. Enfoncés dans les replis de sa peau ridée, ils brillaient d'un

éclat peu commun...

L'apparition figea l'assistance. Le mage se pencha légèrement pour saluer son auditoire. Puis il tendit un doigt osseux vers le capitaine des gardes du roi :

– Seigneur capitaine, voulez-vous me rejoindre, je vous prie...

Le capitaine, un fier-à-bras à la réputation de séducteur, se tourna, goguenard, vers le public. Son air satisfait laissait à penser qu'il en fallait plus pour l'impressionner. Il sauta sur la scène et se campa devant le mage, les mains dans le dos :

– Je suis à vous, maître Savério !

– Regardez-moi dans les yeux, capitaine...

Les mains du mage firent quelques passes devant le visage du fringant officier, alors qu'il répétait d'une voix grave :

– Capitaine... vous sentez votre volonté vous abandonner... Vous n'êtes plus un soldat... vous n'êtes même plus un homme...

Le public retenait son souffle. Les mains de

Savério s'agitèrent d'avantage :

– Et maintenant, et ce jusqu'à ce que je claque des doigts, vous êtes...

Le mage ménageait ses effets.

– Vous êtes un ÂNE !

Le capitaine sembla hésiter. Puis un cri saugrenu sortit de sa bouche :

– Hi... han !

Le public, saisi, se taisait.

– Hi... han !

Un gigantesque éclat de rire secoua la salle.

« Hi... han... Hi... han... » Le capitaine ne pouvait plus s'empêcher de crier, faisant mine de ruer.

– Allez, galopez maintenant ! lui ordonna Savério.

Et le capitaine se mit à galoper tout autour de la scène ! Le mage sortit alors de sa poche une carotte et la tendit à sa victime, qui y planta ses dents avec gourmandise. Zélina, comme tous les autres spectateurs, riait aux larmes. Ambre, elle, ne semblait pas goûter le comique de la situation :

– Voyons, Mademoiselle, ce n'est pas convenable...

– Ambre, je sais que tu

as un faible pour ce prétentieux, mais avoue quand même que c'est drôle !

Ambre ronchonna et détourna les yeux. Sur la scène, les doigts de Savério claquèrent, et le capitaine sembla se réveiller. Il recracha la carotte avec dégoût.

– Beurk...

Le public ne se calma pas, bien au contraire. Le pauvre capitaine regardait la salle sans comprendre. Mais qu'avait-il fait de si drôle ? Le mage le remercia et lui demanda de bien vouloir regagner sa place, ce qu'il fit, sous les plaisanteries des spectateurs.

Profitant du tumulte, Mandragone se pencha vers Belzékor :

– Si vous étiez capable d'en faire autant, nous serions débarrassés de qui vous savez depuis longtemps... Et la voie du trône serait enfin libre pour mon petit Marcel !

Le démon haussa les épaules :

– Pff... Il n'y a rien de magique là-dedans !

Ce n'est que de l'hypnose.

De l'hypnose ? Un déclic se produisit dans son cerveau diabolique. Mais pourquoi n'y avait-il pas pensé plus tôt ?

– Maîtresse, persuadez Igor d'inviter Savério à l'entracte.

La reine fixa la misérable créature, surprise. Le gnome lui chuchota quelques mots à l'oreille. Un affreux rictus tordit alors le visage de la reine, et elle tapota la tête de Belzékor :

– Mais comment ai-je pu douter un seul instant de votre mauvais génie, mon ami ?

Le démon ne se sentit plus de joie. Il était enfin reconnu à sa juste valeur !

Belzékor tend un piège

Le public fit un triomphe au mage Savério. L'hypnotiseur s'éclipsa, salué par la foule, et une troupe de jongleurs bondit sur la scène. Pensif, Belzékor caressa sa barbe en regardant le ballet des torches enflammées. Le temps était venu de mettre son projet à exécution. Le démon devait d'abord s'occuper de la fée Rosette. Ce poison volant risquait de compromettre son plan ! Mais comment se débarrasser d'elle sans attirer l'attention ?

Discrètement, le nabot recula son fauteuil vers le fond de la loge. Là, il marmonna quelques mots incompréhensibles, et une superbe boîte de chocolats apparut à ses pieds. Ils provenaient de chez Florimond, le meilleur confiseur du royaume. Belzékor souleva le couvercle. Mmm... Il regarda les délicieux petits carrés fourrés à la liqueur d'orange avec envie. Mais il retint sa main : il savait bien que ces divins chocolats étaient irrésistibles... Belzékor poussa lentement la boîte entrouverte de son pied fourchu ; puis il ferma les yeux.

Le délicat parfum des chocolats ne tarda pas à venir titiller les narines de la gourmande Rosette. Elle virevolta un moment dans la loge avant d'apercevoir la boîte de chez Florimond. Ce trésor devait appartenir à monsieur Belzékor ; hélas, celui-ci n'était pas du genre à partager… La petite fée leva les yeux. Le conseiller de Mandragone semblait s'être assoupi... La marraine de Zélina regarda mieux, et elle s'enhardit : Belzékor dormait à poings fermés !

Comment résister à l'exquis parfum de cacao et d'orange ? Rosette se posa dans la boîte. « Allez, j'ose... Si je n'en prends qu'un, monsieur Belzékor ne s'en rendra pas compte. »

La fée dégusta un chocolat. « Quel régal ! » pensa-t-elle.

« Un deuxième ? Ce ne serait pas sérieux... »

Elle ne put s'empêcher de prendre un autre chocolat. Un troisième suivit, puis un quatrième, un cinquième... Rosette, un peu honteuse, ne pouvait plus s'arrêter. Au septième chocolat, la liqueur d'orange commença à faire son effet. La petite créature sentit la tête lui tourner et ses jambes se dérober.

Terrassée par l'alcool, elle s'endormit dans la petite boîte rose.

Belzékor se redressa sur son siège. Il referma doucement le couvercle et renoua le ruban. Puis il posa la boîte sur son fauteuil et s'assit dessus en attendant l'entracte.

Lorsque la lumière revint dans la salle, la reine se pencha vers son mari :

– Majesté, que diriez-vous de demander à monsieur Savério de nous rejoindre ? J'aimerais faire plus ample connaissance avec cet homme étonnant...

Le roi secoua la tête. Mais Zélina prit les mains de son père et intervint avec enthousiasme :

– Oh, oui... oh, oui ! s'il te plaît, papa !

Igor fit mine de réfléchir :

– Eh bien... pourquoi pas ?

Sans laisser au roi le temps de se rétracter, Mandragone se retourna vers son démon :

– Monsieur Belzékor, pourriez-vous aller cher-

cher maître Savério, je vous prie ?

Belzékor se leva et disparut derrière le rideau, un sourire maléfique aux lèvres. Il était certain de la réussite de son plan !

Les yeux du démon

Profitant de l'entracte, les spectateurs se levèrent pour se dégourdir les jambes. La mésaventure du capitaine des gardes du roi alimentait toutes les conversations.

Seul Malik resta à sa place, en proie à des émotions contradictoires. Bien sûr, il était fou de joie à l'idée de retrouver sa princesse adorée et de la serrer enfin dans ses bras... Cela faisait si longtemps qu'il attendait cet instant ! Mais Malik savait quel-

les questions sa bien-aimée brûlait de lui poser. Cette fois-ci, il ne pourrait plus se défiler. Il soupira :

– Mais comment lui dire que je suis le fils de l'ennemi juré de son père ?

Le cœur du prince se serra. Zélina ne lui pardonnerait jamais d'avoir ainsi trahi sa confiance et ses sentiments !

Au même moment, Belzékor quitta la loge royale et rejoignit les coulisses. Ah, ah ! Son heure de gloire était enfin arrivée ! « Nous allons nous débarrasser de cette sotte de Zélina ! » songea-t-il. Dans les coulisses, un peu à l'écart, Savério rangeait ses affaires dans une grande malle. Son long manteau noir était posé sur une chaise, derrière lui. Belzékor s'approcha sans un bruit comme s'il glissait sur le parquet ciré. Il regarda sa main, qui se transforma sous ses yeux en un énorme gourdin.

Tout alla ensuite très vite. Belzékor bondit sur la chaise et assena à Savério un violent coup de matraque sur la tête. Sans un cri, le mage s'effondra

dans sa malle. Le démon sauta à terre et rabattit le couvercle de cuir sur le vieillard. Puis il se concentra quelques secondes… et, petit à petit, il prit l'apparence de Savério. Quand la transformation fut achevée, Belzékor enfila le manteau aux étoiles d'argent et remonta à la loge royale.

Le lourd rideau retomba derrière le faux Savério.

– Sire, vous m'avez fait demander ?

Surpris par la soudaineté de l'apparition, les cinq occupants de la loge sursautèrent.

– Oui... euh..., bafouilla le souverain. Nous avons beaucoup apprécié votre numéro, et nous désirons vous féliciter.

– Merci, Votre Majesté est trop bonne ! Tout

ceci n'est que modeste magie ! lui assura avec délectation Belzékor, heureux de remettre les choses à leur juste place.

Mandragone toussota.

– Et si... si vous profitiez de votre visite pour nous présenter l'un de vos tours ? dit-elle, l'air innocent.

Le mage fit mine de réfléchir. Zélina chercha Rosette des yeux. Mais où était-elle passée ?

– Je pourrais..., commença Belzékor.

Fascinée par Savério, Zélina en oublia sa marraine.

– Je pourrais... hypnotiser cette charmante demoiselle ! proposa le faux mage.

Igor manqua de s'étrangler. Mais l'idée plut beaucoup à Zélina.

– Allez, papa... Tu vas voir,

je suis sûre que ça va être drôle !

– C'est hors de question ! s'exclama le roi.

– Papa...

– Sire, je pense que notre petite Zélina ne risque rien ! Et ça lui ferait tellement plaisir..., susurra Mandragone.

– S'il te plaît..., supplia Zélina.

Devant tant d'insistance, le roi fut bien obligé de céder.

Belzékor fixa Zélina dans les yeux. D'étranges mots s'échappèrent de sa bouche. Les paupières de la princesse devinrent lourdes, lourdes... Le démon

lui demanda alors si elle connaissait la chanson que l'on chantait sur le pont d'Obéron. Zélina hocha la tête :

– Je... je l'ai entendue ce matin, fredonnée par un garde au château...

– Et sauriez-vous la chanter à votre tour quand je vous réveillerai d'un claquement de doigts ? s'enquit le mage.

– Oui... je le crois..., acquiesça la jeune fille d'une voix atone.

L'hypnotiseur se pencha vers la princesse. Mais alors qu'il allait la réveiller, il remonta brutalement ses larges manches et murmura à l'oreille de la jeune fille un mystérieux poème :

– Quand la dixième heure sonnera,
Au plus haut du clocher tu monteras,
Et dans le vide tu te jetteras !

Belzékor claqua des doigts. Zélina marqua un petit temps d'arrêt, comme si elle sortait d'un rêve éveillé. Puis se mit à chanter à tue-tête d'une voix charmante :

Sur le pont d'Obéron
On y joue et on y mise,
Sur le pont d'Obéron
Marcel joue et perd sa chemise...

Se rendant compte soudain de l'énormité de ce qu'elle chantait, la princesse se tut, toute rouge.

– Excusez-moi ! Je... je ne sais pas ce qui m'a pris, murmura-t-elle, désolée.

Mandragone fusilla Belzékor du regard. Comment osait-il se moquer ainsi de son fils chéri ? Un instant dérouté, Igor éclata de rire :

– Vous êtes un grand magicien, Savério ! Et, en plus, vous avez su nous amuser ! Vous avez du talent... Il faudra que vous veniez un jour nous faire deux ou trois tours au château.

– Majesté, ce sera trop d'honneur...

Le faux Savério s'inclina jusqu'à terre. Puis il s'éclipsa aussi discrètement qu'il était venu.

Quelques secondes plus tard, Belzékor revint s'asseoir sur son fauteuil comme si de rien n'était...

Sur les pas de Zélina

Quand l'horloge de l'hôtel de ville eut sonné, une étrange torpeur envahit Zélina. Elle sentit sa volonté la déserter peu à peu. Une voix intérieure lui ordonna de se lever, et elle ne put lui résister... Mécaniquement, la princesse demanda à sa fidèle demoiselle de compagnie de lui prêter son manteau :

– Il... faut... que... je... me... retire... un... instant...

Ambre lui proposa de l'accompagner, mais

Zélina fit non de la tête :

– Ce... n'est... pas... la... peine... Merci... Ambre...

Celle-ci se rassit avec un sourire complice. Elle songea que l'heure était venue pour Zélina de rejoindre son beau Malik. D'ailleurs, Rosette devait déjà être partie le chercher... La jolie princesse se pelotonna dans le manteau vert, rabattit la capuche sur ses yeux et disparut derrière le rideau.

Posté à côté de la scène, Malik commençait à s'impatienter. Il était dix heures passées, et personne n'était venu le chercher. Le jeune homme leva les yeux vers la loge royale. Sa bien-aimée venait de quitter son fauteuil... Malik guetta l'arrivée de Rosette. Mais où pouvait-elle bien être passée ? La fée s'était-elle perdue en chemin ? N'en pouvant plus d'attendre, l'étudiant enjamba la

balustrade de bois et se fraya un passage entre les spectateurs en jouant des coudes et en écrasant quelques pieds. Il réussirait bien à trouver Zélina tout seul !

Dans le large couloir qui longeait les gradins, Malik se heurta au mage Savério. Le pauvre homme titubait en se tenant la tête à deux mains. Il l'aida à s'asseoir sur un banc :

– Ça va aller, Monsieur ?

Le mage gémit :

– Aaahh... je crois, jeune homme...

Malik avisa l'énorme bosse sur la tête de Savério :

– Vous vous êtes cogné ?

– Je ne sais pas... Impossible de me souvenir de ce qui s'est passé...

Malik n'avait pas de temps à perdre. Le vieillard s'en remettrait. Il l'abandonna à son sort et grimpa quatre à quatre l'escalier qui menait à l'étage de la loge royale. Là, au détour d'un couloir, l'étudiant aperçut furtivement une silhouette vêtue d'un manteau vert. Deux longues nattes noires s'échappaient du capuchon… Et puis, il y avait ce parfum inimitable et magique qui suivait partout la princesse... Zélina ! Mais où allait-elle ?

À peine Malik s'était-il engagé dans le couloir que Zélina disparut ! Il monta un escalier, suivit un autre couloir. Mais à chaque fois qu'il pensait rejoindre la jeune fille, elle se dérobait de nouveau. À quel jeu jouait-elle ? Malik se retrouva bientôt sous les toits. L'endroit, très mal éclairé par une pauvre lucarne, semblait désert. Il continua à avancer à tâtons, mais se trouva vite dans un cul-de-sac. Personne... Se prenant les pieds dans quelque

chose, il poussa un cri : le manteau vert de Zélina !

Malik regarda la lucarne. Elle était entrouverte ! Il la poussa et se pencha au-dehors. À ses pieds, la place de l'hôtel de ville était maintenant vide. Mais où donc était passée sa chère princesse ? Il se pencha un peu plus et releva la tête. Et là, il eut un terrible choc... Inconsciente du danger, Zélina se balançait autour de la girouette du théâtre, en équilibre sur la pointe du clocher !

Panique sur les toits

Sans hésiter, Malik enjamba le rebord de la lucarne et se glissa le long du mur. Ses pieds trouvèrent l'une des poutres du colombage et prirent appui dessus. Mais comment Zélina était-elle parvenue jusque-là ? Et pourquoi ? Avec prudence, Malik s'agrippa à une autre poutre et progressa lentement vers la gouttière qui longeait le toit.

Zélina semblait envoûtée. Les deux mains sur le mât de la girouette, elle continuait à tourner

comme une somnambule autour de la pointe du clocher. Malik était pétrifié : à tout moment, sa bien-aimée pouvait lâcher prise et tomber dans le vide ! Le jeune homme atteignit enfin la gouttière, et il y posa un pied, puis l'autre. À quelques mètres au-dessus de lui, la fragile silhouette de Zélina s'arrêta. Son regard vide fixa le beffroi et une inquiétante grimace déforma ses lèvres.

Horrifié, Malik vit la main droite de la jeune fille lâcher le mât pour se tendre vers le beffroi comme si elle voulait l'attraper. Il hurla :

– Zélina !

À ces mots, la princesse sursauta et sortit de son étrange torpeur :

– Mais... Où suis-je ?

Sentant soudain la morsure du métal glacé sur la paume de sa main gauche, elle relâcha instinctivement l'étreinte de ses doigts.

– Oh non ! s'écria Malik, épouvanté.

Les bras de Zélina s'agitèrent désespérément

dans le ciel d'Obéron. L'espace d'une seconde, elle sembla pouvoir se rétablir, mais son corps bascula en arrière. Impuissant, Malik la vit retomber lourdement sur le toit du théâtre. Le dos de la princesse rebondit plusieurs fois sur la paille serrée qui le recouvrait, et elle commença à dévaler la pente... Sans se poser de questions, Malik prit son élan et se jeta sur le toit à la rencontre de sa bien-aimée.

Ses doigts se refermèrent sur la ceinture de soie de la robe de Zélina. Un instant, Malik espéra avoir arrêté la chute infernale. Hélas, l'étudiant commença lui aussi à glisser à plat ventre sur

la paille, entraîné par le poids de la jeune fille. Impossible de s'arrêter ! La princesse roula au bord du toit et disparut dans le vide. Dans un réflexe désespéré, Malik se cabra. Par chance, il parvint à bloquer son genou dans la gouttière. Le choc fut terrible, mais il ne lâcha pas prise. Le jeune homme serra les mâchoires.

– Malik ? fit une petite voix tremblante au-dessous de lui.

– Ça... va... aller..., souffla-t-il entre ses dents.

Mais, en fait, ça n'allait pas du tout ! Zélina était trop lourde pour lui, et son bras commençait à fatiguer. Et il n'était pas le seul... Sous le poids des deux jeunes gens, la gouttière s'affaissait de plus en plus, menaçant de se rompre et de les précipiter sur les pavés noirs de la place.

Alors, Zélina arracha la mouche de taffetas qui ornait sa poitrine et souffla dessus de toutes ses forces. Le petit rond de tissu noir se transforma en une mouche bien vivante.

– Vite, Zig-Zag, vole et ramène ma marraine ! C'est une question de vie ou de mort..., supplia la princesse.

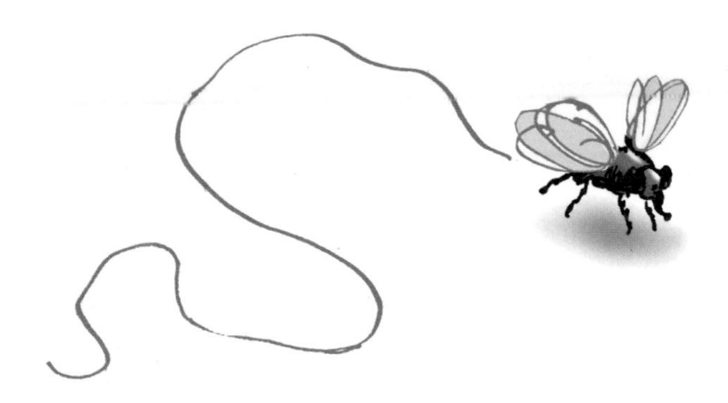

B

Une question de vie ou de mort

Zig-Zag battit courageusement des ailes et vola jusqu'à la loge royale. Mais là, point de Rosette. La mouche tournoya un moment dans la pièce, mais ne trouva aucune trace de la fée. L'affreux monsieur Belzékor commença à la regarder d'un œil mauvais. Agacé, le démon se leva comme un diable et se jeta sur l'insolente pour l'écraser entre ses mains. La petite mouche parvint à lui échapper et revint, désemparée, auprès de Zélina.

– Zig-Zag, où est Rosette ? gémit la princesse.

Zélina comprit aux battements d'ailes affolés de la petite mouche qu'elle n'avait pas trouvé la fée. La jeune fille leva les yeux. Le front de Malik était couvert de sueur, et son visage déformé par une grimace de douleur.

– Je ne tiendrai plus longtemps..., souffla-t-il.

Et la gouttière qui craquait et se déformait de plus en plus ! Suspendue au bout de sa ceinture, Zélina ferma les yeux et se concentra. Surtout, ne pas paniquer : chaque seconde était précieuse.

La princesse rouvrit les yeux :

– Malik, essayez de me balancer doucement, s'il vous plaît !

Malik, interloqué, se demanda si Zélina n'avait pas perdu la tête. Mais lorsqu'il aperçut la longue bannière qui pendait à deux mètres des mains de la princesse, il comprit. Zélina allait tenter de s'y agripper, et la gouttière serait alors soulagée de son poids. La manœuvre était osée, mais avaient-ils une autre solution ? Tétanisé par la douleur, Malik tira sur ses bras et, peu à peu, la princesse se rapprocha du drapeau…

Bientôt, ses doigts se refermèrent sur l'étoffe. Au même moment, il y eut un craquement plus sinistre que les précédents. La gouttière se brisa, et Malik fut projeté dans le vide...

– Ne lâchez pas ma ceinture ! hurla la princesse.

Le choc fut rude, mais Zélina tint bon. Elle serra les dents et entortilla le drapeau autour de ses jambes. C'était maintenant Malik qui était pendu à la princesse. Le souffle coupé, la jeune fille se cramponna. Mais le léger tissu de la bannière ne résista pas et il se déchira brutalement sur la

moitié de sa largeur. Zélina s'écria :

– Vite, Malik... je vais lâcher !

Aveuglé par le drapeau, Malik tâta le mur de son pied. Soudain, sa chaussure trouva le rebord d'une fenêtre. Il lâcha prudemment la ceinture d'une main et agrippa fermement le montant de bois. Puis il posa son autre pied sur l'appui. Il était maintenant en sécurité.

– Laissez-vous glisser tout doucement..., chuchota-t-il.

Avec sa main libre, Malik saisit Zélina par la taille et l'attira à lui. Il sentit le corps tout tremblant de sa princesse se blottir contre le sien.

– Calmez-vous, mon amour... Nous sommes hors de danger !

Les deux amoureux sautèrent à l'intérieur de la pièce. C'était un petit bureau, heureusement vide à cette heure tardive. Zélina se jeta au cou de son courageux chevalier servant.

– Mais, mon amour, que faisiez-vous sur ce toit ? demanda-t-il.

– Je… je ne sais pas…, murmura la princesse. Le mage Savério est venu nous voir dans notre loge et après… après… je ne me souviens plus de rien !

– Le mage Savério ? sursauta Malik. Je l'ai croisé, bien mal en point, dans le couloir, tout à l'heure.

– Sa rencontre m'aura sans doute bouleversée, soupira Zélina avant de se blottir dans les bras de

son amoureux. Oh, Malik, en tous cas, vous m'avez encore sauvé la vie !

– Vous avez sauvé la mienne, princesse... Je ne savais pas que vous étiez aussi musclée ! lui répondit le jeune homme en riant.

Zélina rougit :

– Je ne voulais pas que vous tombiez...

Elle baissa les yeux :

– C'est que... vous m'êtes si précieux !

– Princesse...

Et leurs deux bouches se rejoignirent en un tendre baiser. Lorsque leurs lèvres se séparèrent, Zélina s'écarta légèrement de Malik :

– Et maintenant que nous sommes seuls, si vous m'en disiez un peu plus sur vous ?

Malik blêmit. Le moment qu'il redoutait tant était arrivé, et il ne pouvait plus se défiler.

– Je... c'est que... ce que

je dois vous apprendre est si difficile à dire...

– Mais je vous aime, Malik, et vous pouvez tout me dire !

Et elle rajouta en riant :

– Vous n'allez quand même pas m'annoncer que vous êtes... je ne sais pas... le fils du roi de Loftburg, par exemple !

À ces mots, le visage de Malik se décomposa.

– Excusez-moi, Malik..., s'affola Zélina. J'ai dit une bêtise ?

Heureusement pour le jeune homme, des pas résonnèrent dans le couloir, interrompant fort à propos leur conversation. Malik se ressaisit :

– Il faut que je parte... Si votre père nous surprenait ensemble...

– Je lui avouerais tout ! répondit Zélina avec fougue.

Sa voix devint plus grave :

– Quand nous reverrons-nous ?

Malik resta pensif. Si elle savait... Un jour, il devrait lui dire toute la vérité. En attendant, il posa

un dernier baiser sur le front de Zélina :

– Bientôt, je vous le promets. Et nous aurons tout notre temps pour parler, cette fois !

Il ouvrit la porte.

– Malik...

– Oui ?

– Vous allez me manquer, mon amour...

Malik lui envoya un baiser du bout des doigts et disparut dans le couloir. Au fond de son cœur, Zélina savait bien qu'ils se retrouveraient. Quel que soit son secret… Comment pouvait-il en être autrement ? Obéron était si petit quand on s'aimait comme eux d'un aussi grand amour !

Les chocolats surprise

Morte d'inquiétude, Ambre cherchait sa maîtresse dans tout le théâtre. Lorsqu'elle retrouva Zélina, la princesse était en train de refermer soigneusement la porte du bureau.

– Mais où étiez-vous passée ? Vous n'êtes vraiment pas prudente ! s'écria la demoiselle de compagnie.

Encore toute secouée par son étrange aventure, Zélina lui prit la main :

– Si tu savais, mon Ambre, si tu savais... Mais je n'ai pas le temps de te raconter. Rejoignons vite la loge avant que papa ne s'inquiète.

Les deux jeunes filles dévalèrent les escaliers et les couloirs jusqu'au rideau bleu. Lorsque, tout essoufflées, elles écartèrent le velours, le visage de Mandragone devint gris comme de la cendre. Elle vacilla sur ses jambes, et sa bouche se tordit bizarrement.

– Belle-maman, mais que se passe-t-il ? s'alarma Zélina.

– Je... je ne me sens pas bien..., bafouilla la reine. Je... je vais prendre un peu l'air, moi aussi...

La cruelle marâtre sortit de la loge en titubant. Mais avant de disparaître derrière le rideau, elle agrippa l'épaule du pauvre Belzékor, qui tentait jusqu'alors de se faire oublier sur son fauteuil :

– Vous, vous venez avec moi !

Le rideau retomba sur le drôle de couple et l'on entendit derrière une petite voix plaintive :

– Je ne comprends pas, maîtresse... Ouille... Aïe... Mais je vous dis que je ne comprends pas...

Igor, Zélina et Ambre se regardèrent, bouche bée.

Ça bardait, là-derrière ! Mais quelle bêtise l'étrange nabot avait-il encore bien pu commettre ? Igor haussa les épaules.

– De toute façon, les disputes entre la reine et monsieur Belzékor ne nous regardent pas..., souffla-t-il en souriant aux jeunes filles.

En tirant le fauteuil du démon pour s'asseoir à côté de son père, Zélina découvrit la boîte de chez Florimond. Monsieur Belzékor avait dû l'oublier. La princesse se dit qu'après toutes ces émotions, elle méritait bien une petite douceur !

– Euh... est-ce que tu veux un chocolat, papa ?

Igor regarda sa fille avec un œil plein de malice.

– Ce serait dommage de les laisser se perdre..., fit-il en se léchant les babines.

Zélina ouvrit la boîte. Quelle surprise lorsqu'elle découvrit Rosette, un peu pompette !

– Mais, marraine, que fais-tu là ?

– Je... je crois que je ne supporte pas la liqueur d'orange ! gémit la petite fée.

La fée raconta, un peu honteuse, le mauvais tour que lui avait joué sa gourmandise. Elle avait été bien punie ! Igor attrapa un chocolat dans la boîte ; mais, avant de le porter à sa bouche, il examina sa fille d'un air interrogatif :

– Mmm... À propos, ma chérie, où étais-tu donc passée pour avoir les joues aussi roses et la robe si froissée ?

Zélina tendit la boîte à Ambre puis se servit. Elle croqua à pleines dents dans un délicieux carré noir et se retourna vers son père, le visage illuminé d'un beau sourire coquin :

– J'avais un petit peu mal au cœur...

Le chocolat fondit voluptueusement sur sa langue.

– Mais rassure-toi, papa : je suis allée prendre un bon bol d'air pur, et mon cœur est redevenu léger, léger, léger...

Dans la même collection

Sixième édition

Couleurs : Franck Gureghian. Illustrations 3D : Mathieu Roussel.

18, rue Barbès, 92128 Montrouge Cedex
Princesse Zélina est une marque déposée par Bayard.

Dépôt légal : mai 2003
ISBN : 978-2-7470-0081-9
Loi 49 956 du 16 juillet 1949 sur les publications destinées à la jeunesse

Imprimé par Pollina, France - n° L50971